Jörg Zink

Wenn der Abend kommt

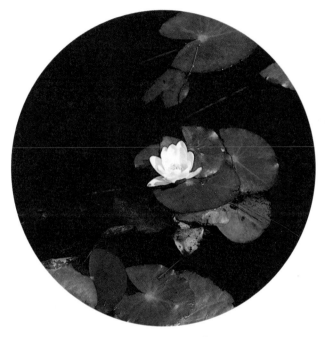

Kreuz Verlag

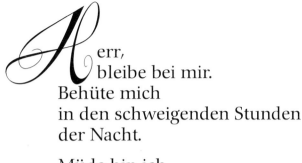

err,
bleibe bei mir.
Behüte mich
in den schweigenden Stunden
der Nacht.

Müde bin ich
von viel Mühe und Sorge.
Laß mich ruhen
in dir.

Wenn es Abend wird,
suche ich Frieden.
Der Tag war lang
und voll Mühe.

Wichtig ist nicht,
was ich mitbringe
– das lege ich aus der Hand –,
sondern was ich empfange;
nicht, was ich sage,
sondern was ich höre.

Darum ist auch mein Gebet
mehr als ein Reden.
Es ist ein Ruhen.
Leise Heimkehr in Gott,
Heimkehr in den Frieden.

Ich höre seine Stimme.

Sie sagt:
Sei ohne Angst.
Nichts kann dich fällen.
Du stehst in deines Herren Hand
und wirst drin stehen bleiben.

Sie sagt auch das andere:
Sei ohne Angst.
Laß dich fallen.
Es ist einer da,
der dich auffängt.

Sie sagt:
Stehen können,
sich fallen lassen –
dies beides zusammen
ist das Geheimnis der Gelassenheit.
Das Geheimnis des Friedens.

Dorthin, woher ich kam,
kehre ich zurück:
in die Hände Gottes.

Ich lasse mein Herz ruhen.
Es muß nichts tun.
Es muß nichts leisten,
sich nicht bewähren.

Gott selbst ist mehr
als nur der Wirkende.
Er ist auch die Ruhe
in allen Dingen.
Ich suche ihn,
indem ich ruhe.

Ich vergesse meine Gedanken,
meine Leistungen und Taten,
vergesse den Streit.

Ich gehe dorthin,
wo mein Weg anfing
und wo er enden wird.

Es gibt Zeiten im Leben,
in denen die Sonne untergeht.

Dann ist es wichtiger,
geduldig zu sein als tüchtig.
Dann ist es besser,
Schmerzen ertragen zu können
als zu arbeiten.

Dann ist es nötiger,
sich in andere zu fügen
als zu befehlen,
sinnvoller, die Einsamkeit zu bestehen
als mitzureden.

Es sind die Zeiten,
in denen sich zeigt,
wer ich in Wahrheit bin.

Herr, du hast gesagt:
Solange ihr in der Welt seid,
habt ihr Angst.
Du willst nicht die Kraftmenschen,
die keine Angst kennen.
Du hast selbst einmal gesagt: Mir ist angst.
Aber dann bist du den Weg gegangen,
vor dem dir angst war.

So hilf mir,
mich nicht zu wehren
gegen die Angst,
sondern sie willig einzulassen
und mit ihr zusammen
in dir zu sein.

Du hast gesagt:
Ich habe die Welt überwunden.
Klein will ich denken von dieser Welt
und groß von dir, Herr.

Es ist nicht entscheidend,
wie groß meine Kraft ist,
sondern ob einer ist,
der mich über dem Abgrund festhält.

So erkenne ich: Die Gefahr ist groß,
aber ich brauche mich nicht zu fürchten.
Mein Werk kann scheitern,
aber ich bin getragen.

Ich kann schwach werden,
aber ich brauche nicht
auf eigenen Füßen zu stehen.
Ich bin bedroht,
aber ich brauche mich nicht zu wehren.

Alles kann mir genommen werden,
aber nichts brauche ich festzuhalten.
Es liegt mir, was ich brauche,
ungefährdet in der Hand.

Ich selbst bin es,
der ungefährdet
in seiner Hand ruht.

In dir sein, Herr, das ist alles.

Das ist das Ganze, das Vollkommene,
das Heilende.
Die leiblichen Augen schließen,
die Augen des Herzens öffnen
und in dir sein,
in deiner Gegenwart.

Ich brauche nicht zu reden,
damit du mich hörst.
Ich brauche nicht zu nennen,
was mir fehlt.
Ich brauche dich nicht zu erinnern
oder dir zu sagen,
was in dieser Welt geschieht.

Du weißt es.
In dir sein, das ist alles,
was mir nötig ist in dieser Nacht.

In dir sein, Herr, das ist alles,
was ich suche.

Ich will nicht den Menschen entfliehen
oder ihnen ausweichen.
Den Lärm und die Unrast
will ich nicht hassen.
Ich möchte sie in die Stille aufnehmen,
die in dir ist.

Stellvertretend möchte ich schweigen
und warten für die Schlaflosen,
für die Zerstreuten,
für die Leidenden um mich her.
Stellvertretend für alle,
die dich nicht finden.
Ich möchte sie mitnehmen in dich.

In dir sein, Herr, das ist alles,
was ich mir erbitte.
Damit habe ich alles erbeten,
was ich brauche für Zeit und Ewigkeit.

Nichts bin ich ohne dich,
Herr und Gott.

Mein Trost ist, daß du da bist
und mich nicht verlassen wirst.

Dein bin ich, ewiger Gott,
heute und morgen und in Ewigkeit.

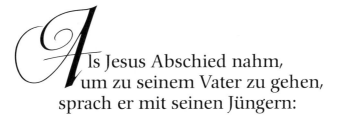

Als Jesus Abschied nahm,
um zu seinem Vater zu gehen,
sprach er mit seinen Jüngern:

Euer Herz erschrecke nicht.
Im Haus meines Vaters sind viele Wohnungen.
Wäre es so nicht, so ginge ich hin,
euch eine Wohnung zu bereiten.

Ich gehe hin, euch eine Heimat zu geben,
und werde wiederkommen,
um euch zu holen,
damit ihr seid, wo ich bin.

Ich lasse mich dir, Herr, und bitte dich:
Mach ein Ende aller Unrast.

Meinen Willen lasse ich dir.
Ich glaube nicht mehr,
daß ich selbst verantworten kann,
was ich tue und was durch mich geschieht.
Führe du mich und zeige mir deinen Willen.

Meine Gedanken lasse ich dir.
Ich glaube nicht mehr, daß ich so klug bin,
mich selbst zu verstehen,
die Menschen oder die Welt.
Lehre mich deine Gedanken denken.

Meine Pläne lasse ich dir.
Ich glaube nicht mehr,
daß mein Leben seinen Sinn findet
in dem, was ich erreiche von meinen Plänen.
Ich vertraue mich deinem Plan an,
denn du kennst mich.

Ich lasse mich dir.

Dir, Herr, lasse ich meine Sorgen
um die Menschen, die ich liebe.

Ich glaube nicht mehr,
daß ich mit meinen Sorgen irgend etwas bessere.
Das liegt allein bei dir. Wozu soll ich mich sorgen?

Die Angst vor der Übermacht der anderen
lasse ich dir.
Du warst wehrlos zwischen den Mächtigen.
Die Mächtigen sind untergegangen. Du lebst.

Meine Furcht vor meinem eigenen Versagen
lasse ich dir.
Ich brauche kein erfolgreicher Mensch zu sein,
wenn ich ein gesegneter Mensch sein soll.

Alle ungelösten Fragen lasse ich dir.
Ich gebe es auf,
gegen verschlossene Türen zu rennen,
und warte auf dich. Du wirst sie öffnen.

Ich lasse mich dir. Ich gehöre dir, Herr.
Du hast mich in deiner guten Hand.

err, ich denke vor dir
an all die Menschen,
für die nun die Nacht kommt.

Ich bitte dich um Kraft
für alle,
die jetzt unterwegs sind
oder ihre Arbeit tun.

Ich bitte dich um deine Nähe
für die Kranken,
die Schwermütigen,
die Verlassenen,
die Gefangenen.

Du wachst, Herr,
mit den Wachenden.
Du bist der Schlaf
der Schlafenden,
und die Sterbenden
leben in dir.

Über meinen Tag
denke ich nach, Herr.
Es ist unendlich schwer,
gut und böse zu erkennen.
Ich mühe mich täglich
und kann doch die Schuldigen
nicht unterscheiden von den Unschuldigen.
Wer in Schuld gerät,
braucht nicht böse zu sein,
wer unschuldig ist, nicht gut.

Vieles, was unseren Vorfahren heilig war,
was sie für deinen Willen hielten,
ist uns eine vergangene Meinung.
Manches, was unsere Vorfahren bekämpften,
weil sie meinten, es sei böse,
ist heute vielleicht unser Auftrag.
Herr, was ist dein Wille?

Ich breite meinen Tag aus vor dir
und bitte dich um Klarheit.

Dieser Tag geht zu Ende,
und ich denke nach über meinen Weg.

Ich mühe mich, zu lieben,
und bleibe doch ein eigensüchtiger Mensch.
Ich mühe mich,
und doch bleibt alles beim alten.
Ich werde nicht besser in meinen eigenen Augen
und nicht glaubwürdiger in den Augen der anderen.

Ich rede von Freiheit
und bleibe ein gebundener Mensch.
Ich denke über meine Fesseln nach
und bleibe gerade dadurch an sie gebunden.
Ich suche zu klären, was gewesen ist,
und bringe es gerade dadurch in Verwirrung.

Du hast gesagt: Kommt her zu mir,
die ihr mühselig und beladen seid.
Herr, ich bin beladen mit mir selbst.
Du hast gesagt: Wer zu mir kommt,
den werde ich nicht hinausstoßen.
Herr, ich weiß: Ich bin zu Hause bei dir.

Du allein, Herr, weißt
was dieser Tag
wert war.
Ich habe viel getan
und viel versäumt.
Ich habe versucht
und nicht vollendet.
Ich bin den Meinen
viel Liebe
schuldig geblieben.

Ob dieser Tag
seinen Ertrag brachte,
weiß ich nicht.
Du allein siehst es.
Ich lege ihn in deine Hand.

Ich bin umgeben von Nacht.
Aber ich weiß,
daß ein Morgen kommt
und die Sonne aufgeht:
deine Liebe
und dein Licht.

Unser Abendgebet steige auf
zu dir, Herr,
und es senke sich auf uns herab
dein Erbarmen.

Dein ist der Tag,
und dein ist die Nacht.
Laß, wenn des Tages Schein verlischt,
das Licht deiner Wahrheit
uns leuchten.

Geleite uns zur Ruhe der Nacht
und dereinst
zur ewigen Vollendung
durch unseren Herrn
Jesus Christus.

Altes Kirchengebet

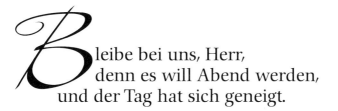

Bleibe bei uns, Herr,
denn es will Abend werden,
und der Tag hat sich geneigt.

Bleibe bei uns und bei allen Menschen.
Bleibe bei uns am Abend des Tages,
am Abend des Lebens, am Abend der Welt.

Bleibe bei uns mit deiner Gnade und Güte,
mit deinem Wort und Sakrament,
mit deinem Trost und Segen.

Bleibe bei uns, wenn über uns kommt
die Nacht der Trübsal und Angst,
die Nacht des Zweifels und der Anfechtung,
die Nacht des bitteren Todes.

Bleibe bei uns und bei allen deinen Kindern
in Zeit und Ewigkeit.

Altes Kirchengebet

err und Gott,
gib mir den Frieden
der Ewigkeit,
den Morgen ohne Abend,
das Licht ohne Nacht.

Die Zeit berührt dich nicht
aber du gibst die Zeit.

Gib mir Frieden
im Kreisen der Jahre
und der Tage
und den Frieden
am Ende der Zeit.

ein Herz sucht
einen Weg zu den Toten,
die ich geliebt habe.

Ich weiß, sie leben in Gott.
So versenke ich mich in Gott,
um sie zu finden.

Ich rede zu Gott
und finde das Ohr derer,
die ich liebe.
Ich bringe Gott meine Liebe
und weiß, daß sie mir nahe sind.

Gottes Gedanken sind nicht meine Gedanken.
Seine Wege sind nicht unsere Wege.
Er aber ist nicht ein Gott von Toten,
sondern von Lebendigen,
und wir alle sind eins in ihm.

Der Tag ist vergangen.
Was ich zu tun hatte, ist getan.
Du bist nahe.

Nimm alle Hast von mir.
Die Unruhe meiner Gedanken
und das Hin und Her in meinem Herzen.
Ich möchte dir stillhalten,
dir, der so nahe ist.

Unter deinem Schutz
habe ich diesen Tag vollendet.
Ich danke dir für alles,
was du hast gelingen lassen.
Segne, was gewesen ist.

Der Tag ist vergangen.
Laß ihn vergangen sein,
und laß mich bleiben bei dir.

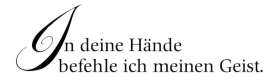

In deine Hände
befehle ich meinen Geist.

Du hast mich erlöst,
Herr, du treuer Gott.

Bewahre mich in dieser Nacht
nach deiner Gnade.
Beschirme mich
unter dem Schatten deiner Flügel.

Ich preise dich,
der war,
der ist
und der kommt.

In deine Hände
befehle ich meinen Geist
jetzt und in Ewigkeit.

Altes Kirchengebet

Zurück
in die vergangenen Jahre schaue ich.

Ich konnte mein Leben nicht planen.
Ich konnte es nicht machen
und nicht vorhersehen.
Aber ich ahne die Hand,
die mich führt.

Ich staune über den Plan,
den du in mein Leben gelegt hast.
Über die Wendungen in meinem Schicksal
und seine Geradlinigkeit.

Du führtest mich,
und ich erkenne, hinterher,
daß es deine Hand war.

Viele meiner Wünsche blieben unerfüllt,
und ich erkenne, hinterher:
So war es gut.

Ich schaue zurück
und danke dir.

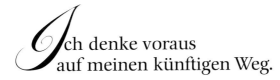

Ich denke voraus
auf meinen künftigen Weg.

Du führst mich am Leid nicht vorbei,
aber du führst mich hindurch.
Und wenn ich durch das finstere Tal gehe
und deine Hand nicht sehe,
so suche ich doch bei dir meinen Halt
und meinen Schutz.

Ich vertraue dir,
auch wenn ich dich nicht verstehe.
Ich lasse mich dir.
Tu du mit mir, was dir gefällt.

Ich lasse mich dir und möchte lernen,
dies und sonst nichts zu wollen.
Einzig dies,
daß dein Wille sich an mir erfüllt.

Ich denke voraus auf meinen Weg
und lasse mich dir.

Das Gras schwankt
bei jedem Windhauch
Mein Herz ist wie Gras,
das der Nachtwind streift.

Aber das Gras wiegt sich
und schläft,
bis es Morgen wird
und das Licht kommt.

Mein Herz ist wie Gras
in deiner Hand.
Es ruht in dir.

Du hast gesagt, Herr:
Wacht mit mir!

Wer mit dir wacht,
wird schlaflos liegen
mit den Schlaflosen
und ihnen nahe sein
mit seinen Gedanken.

Er wird sich ängsten
mit den Mutlosen
oder im Abgrund sein
mit den Schwermütigen.

Aber er wird erfahren,
daß du da bist
auch im dunklen Tal
dieser Nacht.

acht mit mir!
hast du gesagt.

So achte ich auf dein Wort
als auf ein Licht
in der Dunkelheit,
bis der Tag anbricht
und der Morgenstern aufgeht
in meinem Herzen.

Ob ich wache oder schlafe,
ich bin in dir.

Johannes ruht
am Herzen des Meisters.

Er weiß:
Ich bin nicht verlassen.

Wenn die Nacht vorüber ist,
wird es Tag sein.

Ich ruhe bei ihm
in dieser Nacht
und in allen Nächten,
bis ich das Licht schaue.
Sein Licht.

CIP-Kurztitelaufnahme der Deutschen Bibliothek
Zink, Jörg:
Wenn der Abend kommt/Jörg Zink. –
1. Aufl., (1.–40. Tsd.). – Stuttgart; Berlin:
© Kreuz-Verlag, 1982.
ISBN 3-7831-0674-5

1. Auflage (1.–40. Tausend)
© Kreuz Verlag Stuttgart 1982
Alle Fotos: Jörg Zink
Gestaltung: Hans Hug
Reproduktionen: Gölz, Ludwigsburg
Satz: Typosatz Bauer, Fellbach
Druck: Süddeutsche Verlagsanstalt, Ludwigsburg
Buchbinderische Verarbeitung: Röck, Weinsberg
ISBN 3-7831-0674-5

In der gleichen Ausstattung wie das Buch,
das Sie in der Hand haben, sind von
Jörg Zink im Kreuz Verlag folgende Bände erschienen:

Jörg Zink
Am Ufer der Stille

48 Seiten mit 18 Farbfotos, gebunden mit vierfarbigem Überzug

So wie Jesus seine Jünger gelegentlich aufforderte,
mit ihm
ans andere Ufer des Sees Genezareth zu fahren,
lädt Jörg Zink ein, der Stille zu lauschen.
Die Landschaftsfotos und die Texte
verbinden sich zu innerer Einheit.

Jörg Zink
Alles Lebendige singt von Gott

48 Seiten mit 19 Farbfotos, gebunden mit vierfarbigem Überzug

Zauberhaft ist die Natur, die Gott geschaffen hat.
Der Fotograf Jörg Zink zeigt Bilder davon,
der Autor leitet dazu an,
mit neuen Augen in die Welt zu sehen
und in den vielen kleinen Dingen
die Gegenwart des Schöpfers zu erfahren.

Jörg Zink
Mehr als drei Wünsche
Ein Gruß zum Fest

48 Seiten mit 20 Farbfotos, gebunden mit vierfarbigem Überzug

Ein Blumenstrauß von Wünschen, die Mut machen,
das Leben mit allem Schweren und Schönen anzunehmen.
Altersweisheit spricht aus den mit Humor gewürzten Texten,
die zusammen mit den farbigen Fotos ein festliches Geschenk sind.

Kreuz Verlag Stuttgart · Berlin